Vous avez trimé toute votre vie et pouvez enfin souffler un peu ? Vous pensiez que votre statut d'aîné vous ferait bénéficier de certains privilèges et droits que vous avez d'ailleurs bien mérités ? Malheureusement, notre société ne laisse pas toujours aux aînés la place qui leur revient. N'hésitez pas à prendre votre place : défendez vos droits !

Sa vie durant, le citoyen est appelé à s'interroger sur des sujets liés de près ou de loin au droit. La vie est ainsi faite qu'avec l'âge les préoccupations d'une personne changent : elle pense tour à tour au mariage, à la famille, au travail, à la santé, etc. Les aînés font face à une réalité juridique qui leur est propre et qui mérite une attention toute particulière. La Fondation du Barreau du Québec en collaboration avec Éducaloi met à leur disposition le présent guide, qui contient des réponses à certaines de leurs questions d'ordre juridique.

Veuillez noter que les coordonnées des organismes d'aide mis en italique dans le présent document se retrouvent dans la section qui leur est consacrée, dans les dernières pages du guide.

LA DIGNITÉ : *des moyens pour se faire* RESPECTER

Avez-vous déjà été victime d'abus, de négligence ou de discrimination? Si cela a été le cas, vous êtes-vous senti seul et isolé pour affronter ce genre de situation? Saviez-vous qu'il existe des lois qui visent à prévenir et à enrayer les comportements frauduleux ou négligents de ceux qui tentent de tirer profit des aînés?

Dans cette section, vous aurez l'occasion de vous familiariser avec les principes généraux ayant trait à votre protection contre l'exploitation, le harcèlement et la discrimination. De plus, vous verrez que la loi protège les droits des aînés dans des domaines bien particuliers comme les relations entre grands-parents et petits-enfants, le marché du travail, la vente à domicile, la sollicitation téléphonique ainsi que l'achat d'arrangements préalables de services funéraires et de sépulture.

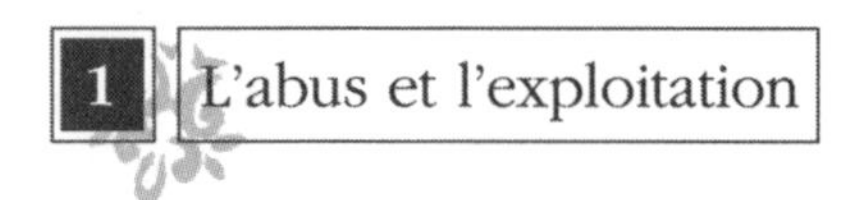

1 L'abus et l'exploitation

Est-ce que la loi me protège contre L'EXPLOITATION, *le* HARCÈLEMENT *et la* DISCRIMINATION ?

De façon générale, la loi interdit à quiconque de harceler une personne ou d'agir de façon discriminatoire envers elle. Si, au surplus, celle-ci se trouve dans un état de dépendance et de vulnérabilité, elle a le droit d'être protégée contre toute forme d'exploitation, qu'elle soit financière ou psychologique, accompagnée ou non de violence physique ou verbale.

Enfin, le fait que vous soyez un aîné entraîne l'obligation pour votre famille ou les personnes qui en tiennent lieu, comme les intervenants du milieu de la santé et des services sociaux qui prennent soin de vous régulièrement, de voir à votre protection et à votre sécurité.

— La plainte à la Commission des droits de la personne et des droits de la jeunesse du Québec peut être déposée par un organisme voué à la défense ou au bien-être des aînés, par exemple un CLSC.

Si vous décidez de défendre vos droits et de faire cesser les abus dont vous êtes victime, vous devez vous adresser à la *Commission des droits de la personne et des droits de la jeunesse du Québec* pour y déposer une plainte.

Ma voisine est HARCELÉE *par son neveu qui lui demande constamment de* L'ARGENT. *Est-ce que je peux* INTERVENIR *?*

Votre voisine est peut-être victime d'exploitation financière. Cette situation est souvent difficile à admettre pour la personne qui la subit, surtout lorsque l'individu qui harcèle est quelqu'un de la famille. Il est possible que le neveu de votre voisine ait même menacé celle-ci de ne plus venir la voir si elle refusait de lui donner de l'argent ou qu'il se soit déjà montré « très » insistant envers elle.

Peut-être se sent-elle incapable de mettre fin à cette situation soit par insécurité, soit par crainte de représailles, ou tout simplement par peur de la solitude. En tant que témoin de cette exploitation, vous pouvez la signaler à la *Commission des droits de la personne et des droits de la jeunesse du Québec*, qui évaluera s'il y a lieu de tenir une enquête. La Commission fera tout pour préserver votre anonymat.

Si l'enquête de la Commission s'avère concluante, celle-ci pourra trouver des solutions en collaboration avec la famille ou l'entourage de votre voisine afin d'améliorer la qualité de vie de cette dernière. Les mesures adoptées peuvent, par exemple, prendre la forme de visites régulières d'un intervenant du milieu de la santé et des services sociaux à son domicile ou du concours d'une institution financière pour le dépôt direct dans son compte en banque de ses chèques de pension.

2 La retraite

Je suis ADMISSIBLE *à la* RETRAITE *; est-ce que mon* EMPLOYEUR *peut me* FORCER *à* CESSER DE TRAVAILLER *?*

Si vous avez toujours la forme et le moral, pourquoi arrêteriez-vous de travailler? En effet, vous pouvez demeurer au travail même si vous avez atteint ou dépassé l'âge ou le nombre d'années de service à compter duquel vous pouviez prendre votre retraite. Si vous choisissez de rester en poste, sachez que la loi interdit à tout employeur de congédier, suspendre ou mettre à la retraite un salarié pour ces motifs.

Si, malgré tout, votre employeur décide de vous obliger à prendre votre retraite, vous avez des recours. D'une part, vous pouvez déposer une plainte auprès du *Bureau du commissaire général du travail* dans un délai de 90 jours à compter de votre mise à la retraite « forcée ». Dans ce cas, la *Commission des normes du travail* peut vous aider gratuitement à préparer votre recours et même acheminer votre plainte pour vous. D'autre part, si vous croyez que votre congédiement est lié uniquement à votre âge, vous pouvez en outre vous adresser à la *Commission des droits de la personne et des droits de la jeunesse du Québec.*

3 La consommation

J'ai ACHETÉ *un bien à un vendeur faisant du* PORTE-À-PORTE. *Puis-je* ANNULER LA VENTE *et me faire* REMBOURSER*?*

Oui. Si après avoir été sollicité par un vendeur ailleurs qu'à sa place d'affaires, vous concluez un contrat avec lui, il s'agit d'une vente itinérante. C'est notamment le cas lorsqu'un commerçant se présente à votre porte ou vous sollicite par téléphone. Sachez que la loi vous assure une certaine protection lorsque vous faites affaire avec des vendeurs itinérants. Pour être valide, le contrat doit obligatoirement être fait par écrit et contenir le numéro de permis du commerçant itinérant délivré par l'Office de la protection du consommateur, la description exacte des parties au contrat, la date de conclusion de celui-ci et l'adresse où il a été signé. De plus, il doit mentionner qu'il est possible de l'annuler et un formulaire à cet effet, appelé formule de résolution, doit y être annexé. Si l'une ou l'autre de ces conditions n'est pas respectée, vous disposez d'un an pour demander l'annulation du contrat.

— Attention ! On ne peut annuler le contrat au moyen d'un simple appel téléphonique !

Même si le contrat remplit toutes les exigences mentionnées ci-dessus, en tant que consommateur, vous n'avez pas à invoquer de raison particulière pour annuler le contrat. Vous disposez d'un délai de 10 jours à partir du moment où vous êtes en possession de votre copie du contrat. À l'intérieur de ce délai, vous pourrez soit remettre le bien au commerçant ou à son représentant, soit lui envoyer un avis écrit ou la formule de résolution dûment remplie.

Lors d'une SOLLICITATION TÉLÉPHONIQUE, *comment éviter d'être* VICTIME *d'une* ARNAQUE ?

La loi prévoit certaines normes qui doivent être observées par les entreprises qui font de la sollicitation par téléphone. Au début de chaque appel, votre interlocuteur doit obligatoirement divulguer l'identité de la personne ou de l'entreprise pour laquelle il travaille, le but de son appel, la nature et le prix du produit ou du service offert et les modalités de livraison. Afin d'éviter les problèmes, ne donnez jamais votre numéro de carte de crédit ou de compte en banque à un interlocuteur que vous ne connaissez pas, sauf si vous avez vous-même demandé un produit ou un service à une entreprise réputée.

Le commerçant ne peut exiger que vous payiez une avance sur le prix de vente au moment de l'appel de télémarketing ou lors de la conclusion du contrat. Le bien que vous achetez de cette façon n'est payable que sur réception. Enfin, une fois livré, l'article doit être conforme à la description qu'en a fait le vendeur durant l'appel.

À quoi dois-je PORTER ATTENTION *si je veux acheter des* PRÉARRANGEMENTS FUNÉRAIRES *?*

En premier lieu, sachez que les arrangements préalables de services funéraires et l'achat d'une sépulture doivent faire l'objet de contrats écrits séparés. Les deux contrats doivent mentionner les modalités de paiement, les conditions liées au dépôt des sommes d'argent confiées au vendeur ainsi que les conditions d'annulation de la vente. Le vendeur ne peut y inclure aucune clause prévoyant le paiement d'une somme supplémentaire par vous ou vos proches, par exemple une clause d'indexation. Une copie de l'entente doit vous être remise à vous et une autre, à une tierce personne de votre choix dans les 10 jours suivant la signature.

— Les entreprises de services funéraires ne peuvent faire de sollicitation téléphonique ou de porte-à-porte. Il leur est aussi strictement interdit de faire de la sollicitation dans les hôpitaux et les centres d'hébergement.

Une fois signé, le contrat d'arrangements préalables de services funéraires peut toujours être annulé, avec ou sans pénalité selon le moment où vous agissez. Pour ce qui est du contrat d'achat d'une sépulture, en règle générale, vous ne pouvez l'annuler que s'il a été conclu ailleurs qu'à la place d'affaires du vendeur et que vous agissez dans les 30 jours à partir du moment où vous en avez reçu une copie.

L'ex-conjointe de mon fils menace de M'EMPÊCHER DE VOIR MES PETITS-ENFANTS : *en a-t-elle le droit?*

Non. S'il vous est impossible de voir vos petits-enfants parce que votre fils néglige d'exercer ses droits d'accès et que son ex-conjointe vous empêche de prendre contact avec eux, sachez que vous êtes protégé. Peu importe le conflit pouvant exister entre les parents et les grands-parents, la loi contient une disposition qui garantit expressément à ces derniers le droit de maintenir des relations personnelles avec leurs petits-enfants. Vous pouvez donc présenter une demande au tribunal pour obtenir un droit de visite ou de sortie ou encore une autorisation de communiquer avec eux. Pour que les parents puissent s'opposer à votre demande, ils doivent invoquer un motif grave, par exemple le fait que vous avez une mauvaise influence sur vos petits-enfants ou que vous vous êtes montré violent envers eux. Le seul fait qu'il y ait de la chicane entre vous et les parents ne serait donc pas suffisant.

N'ayez crainte, même si on vous accorde de tels droits, vous ne serez pas obligé de verser une pension alimentaire pour vos petits-enfants. D'ailleurs, il n'est plus possible d'exiger une telle aide financière des grands-parents.

L'INAPTITUDE : *une* ÉVENTUALITÉ *qu'il ne faut pas négliger d'* ENVISAGER

Vous vous demandez ce qui se passera si vous devenez inapte un jour et n'êtes alors plus en mesure de vous occuper de votre personne ou de vos biens ? Qui prendra soin de vous : votre conjoint, vos enfants, le Curateur public du Québec ? Devez-vous préparer un mandat en cas d'inaptitude ? Certes, la survenance de l'inaptitude n'est pas une éventualité à laquelle il est agréable de songer. Toutefois, y penser dès maintenant peut vous éviter bien des soucis, à vous et à vos proches.

Dans cette section, vous trouverez de l'information sur le mandat en cas d'inaptitude, les régimes de protection reconnus par la loi, le rôle du Curateur public et les moyens mis à votre disposition pour vous assurer que vos volontés de fin de vie soient prises en compte.

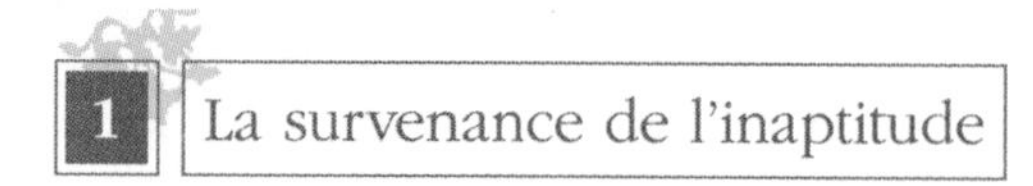

1 La survenance de l'inaptitude

*Qui s'*OCCUPERA *de* MOI
si un jour je DEVIENS INAPTE *?*

Si vous devenez inapte, par exemple, à la suite d'une maladie, d'un accident ou d'un affaiblissement dû à l'âge, vous ne perdrez pas tous vos droits : quelqu'un s'occupera de vous et de vos biens.

Si vous avez fait un mandat en cas d'inaptitude, c'est la personne que vous avez choisie pour mandataire qui pourra jouer ce rôle. Par ailleurs, si vous n'avez pas prévu de mandat, quelqu'un de votre entourage pourra être désigné pour être votre tuteur ou votre curateur.

Enfin, pour toute question relative aux soins requis par votre état de santé, si vous n'avez pas nommé de mandataire ou de représentant, la loi prévoit, en ordre de priorité, que les personnes suivantes peuvent y consentir à votre place :

1. votre conjoint avec qui vous êtes marié ou vivez en union civile ou en union de fait ;

2. un proche parent (enfant, sœur ou frère) ou une personne qui se préoccupe de vous (ami).

— La personne qui consent à votre place aux soins est tenue d'agir dans votre seul intérêt en tenant compte, autant que possible, des volontés que vous avez déjà exprimées.

2 Le mandat en prévision de l'inaptitude

Faudrait-il que je prépare un MANDAT *en* CAS D'INAPTITUDE ?

Vous n'êtes pas obligé de faire un mandat en cas d'inaptitude. C'est à vous qu'il appartient d'en décider.

Le mandat est un document écrit qui vous permet de choisir, à l'avance, la personne qui assurera votre protection et qui veillera à l'administration de vos biens si vous devenez inapte. Vous êtes libre d'y inclure ce que vous souhaitez, entre autres vos volontés de fin de vie, certaines directives quant à la gestion de vos biens, etc. Le mandat n'est utile que de votre vivant et il ne doit pas être confondu avec le testament qui, lui, s'appliquera après votre décès.

Le mandat peut être notarié. Il est par la suite inscrit au registre de la *Chambre des notaires du Québec*, ce qui permet à vos proches de le retracer plus facilement. Le mandat peut également être fait devant deux témoins, qui ne sont aucunement concernés par son contenu. Il est alors signé par ces derniers pour attester que vous êtes sain d'esprit. Dans ce dernier cas, le *Curateur public du Québec* a produit un formulaire servant de guide pour la rédaction du mandat. Ce formulaire, intitulé « Mon mandat en cas d'inaptitude », est disponible aux *Publications du Québec*, dans certaines librairies ainsi que sur le site Internet du Curateur public (www.curateur.gouv.qc.ca).

Dois-je AVERTIR *ma* FAMILLE *si je prépare un* MANDAT *en cas* D'INAPTITUDE ?

Oui, de préférence. Par-dessus tout, il est important que votre mandataire, soit la personne que vous avez nommée pour vous représenter, soit informée de l'existence du mandat. D'ailleurs, il est essentiel de vous assurer qu'elle accepte d'assumer cette fonction. Cette acceptation peut être faite de façon tacite, c'est-à-dire que la personne choisie manifeste son accord par ses gestes, ou expresse, par exemple lorsque le tout est consigné par écrit dans le mandat. Il est fortement recommandé de remettre une copie du document à la personne que vous avez choisie tout en lui indiquant où trouver l'original.

Une fois qu'il a accepté de vous représenter, votre mandataire ne peut se décharger de ses responsabilités sans préalablement s'assurer que vous continuerez d'être protégé par son remplaçant désigné dans le mandat ou en demandant au tribunal d'ouvrir un régime de protection.

Vous pouvez nommer plus d'un mandataire. En effet, peut-être préférez-vous confier la protection de votre personne à un mandataire et la gestion de vos biens à un autre. De plus, prévoyez un remplaçant au cas où la personne choisie ne pourrait assumer sa fonction.

3 Le testament de vie

Comment m'assurer que mes VOLONTÉS *de fin de vie soient* PRISES EN COMPTE ?

Vos volontés de fin de vie représentent vos désirs quant aux soins que vous désirez ou non recevoir à l'approche de votre décès. Par exemple, vous pouvez souhaiter ne pas être réanimé ou ne pas être maintenu en vie artificiellement.

Pour vous assurer que vos volontés soient prises en compte, il serait tout d'abord utile que vous en discutiez avec vos proches et, s'il y a lieu, avec votre mandataire.

— La seule mention « refus d'acharnement thérapeutique » à titre de volontés de fin de vie peut prêter à confusion. Il peut donc être utile d'y apporter certaines précisions, par exemple votre désir de refuser la réanimation cardiorespiratoire.

Vous pouvez indiquer vos volontés par écrit soit à l'intérieur de votre mandat en cas d'inaptitude, soit en ayant recours à un « testament de vie », aussi appelé « testament biologique ». Contrairement au mandat, le testament de vie n'exige aucune formalité. Il peut donc s'agir d'une simple lettre. Il peut être judicieux de faire ajouter une copie de vos volontés de fin de vie à votre dossier médical. Toutefois, précisons que votre testament de vie, bien qu'il doive être pris en compte par votre médecin traitant et votre famille, ne lie pas ces derniers de façon obligatoire et inconditionnelle.

4 Les régimes de protection

Qu'est-ce qu'un RÉGIME DE PROTECTION ?

Un régime de protection peut être mis en place lorsqu'une personne n'est plus en mesure de s'occuper d'elle-même ou d'administrer ses biens. Il peut donc comporter le volet « personne » (consentement aux soins, choix de la résidence, etc.), le volet « biens » (paiement des comptes, entretien des immeubles, etc.) ainsi que, en général, celui relatif à l'exercice des droits civils de cette personne.

Il existe trois différents régimes : le conseiller, la tutelle et la curatelle. Le choix du régime s'effectue en fonction du degré d'inaptitude de la personne à protéger. C'est le tribunal qui détermine le régime et qui nomme celui qui sera chargé de la représenter, après avoir considéré les preuves médicales et psychosociales, l'avis du principal intéressé ainsi que celui de ses proches.

Le mandat en cas d'inaptitude n'a pas préséance sur les régimes de protection, mais il exprime la volonté de la personne inapte et, de ce fait, doit être pris en compte par le tribunal. Il est donc possible qu'un régime de protection soit mis en place pour « compléter » un mandat en cas d'inaptitude qui ne permettrait pas d'assurer pleinement les soins de la personne ou l'administration de ses biens.

— L'ouverture d'un régime de protection à votre égard peut être demandée par vous, votre conjoint, un proche parent, un ami, ou toute personne qui démontre envers vous un intérêt particulier. Votre mandataire, ou le Curateur public du Québec, peut également la requérir.

CONSEILLER, TUTELLE, CURATELLE : *quelle est la distinction ?*

Ces trois régimes de protection se distinguent par le degré d'inaptitude requis pour mener à leur ouverture.

Le conseiller au majeur est nommé lorsqu'une personne, généralement apte, a besoin d'être assistée ou conseillée dans l'administration de ses biens, et ce, de façon temporaire ou pour la prise de décisions particulières. Par exemple, une personne peut avoir besoin d'une certaine assistance relativement à la gestion d'un héritage laissé par son conjoint.

La tutelle constitue pour sa part un régime intermédiaire qui vise la protection de la personne ou de ses biens. Elle s'adresse à l'individu souffrant d'une inaptitude partielle ou temporaire, par exemple si, en raison du vieillissement, il n'est plus en mesure d'effectuer la gestion courante de ses affaires mais est suffisamment lucide pour prendre des décisions quant au choix de sa résidence.

La curatelle, enfin, offre la plus grande protection. Elle couvre à la fois la personne et ses biens, et s'adresse aux gens inaptes de façon totale et permanente, par exemple, ceux se trouvant à un stade avancé de la maladie d'Alzheimer.

Que se passera-t-il si je deviens INAPTE *et que* PERSONNE *de mon entourage* N'EST EN MESURE *de s'occuper de moi ?*

Pour diverses raisons (vos enfants demeurent à l'étranger, votre conjoint est malade, etc.), il est possible que personne de votre entourage ne soit en mesure de s'occuper de vous ou de vos biens en cas d'inaptitude. C'est alors le *Curateur public du Québec* qui prendra la relève. Le Curateur public a, en effet, pour mission de protéger et de représenter les citoyens québécois déclarés inaptes, et il peut, au besoin, exercer les fonctions de tuteur ou de curateur.

Le Curateur public n'intervient qu'en dernier recours, et il aura préalablement fait diverses démarches pour s'assurer qu'aucun de vos proches n'est en mesure de vous représenter.

En outre, si un membre de votre entourage désire prendre soin de vous et de vos biens après la nomination du *Curateur public du Québec*, celui-ci doit alors céder sa place s'il estime que cela est dans votre intérêt.

Puis-je PORTER PLAINTE *si je pense que mon* REPRÉSENTANT EXERCE MAL *ses fonctions ?*

Oui. Si vous pensez que votre représentant (tuteur, curateur ou mandataire) exerce mal ses fonctions, vous pouvez déposer une plainte auprès du *Curateur public du Québec.* Notez, d'ailleurs, que toute personne intéressée peut aussi le faire. Ainsi, outre ses fonctions de représentant, le Curateur public est donc également chargé de surveiller l'administration des tutelles et des curatelles privées, et il dispose de certains pouvoirs d'intervention eu égard à la représentation par un mandataire en cas d'inaptitude.

— Bien que le représentant ne soit généralement pas rémunéré, il a le droit d'être remboursé des frais qu'il a engagés dans le cadre de ses fonctions, comme ceux liés à ses déplacements.

Par exemple, les comportements suivants peuvent faire l'objet d'une plainte : l'utilisation par votre représentant de votre argent à des fins personnelles et l'absence de contacts réguliers, par téléphone ou en personne, avec lui.

À la suite d'une plainte, le Curateur public peut mener une enquête. Si la plainte s'avère fondée, le Curateur public peut soit tenter de rencontrer votre représentant pour voir de quelle façon la situation peut être corrigée, soit immédiatement entreprendre des démarches afin d'assurer son remplacement.

L'état de SANTÉ *de mon conjoint se* DÉTÉRIORE : *que dois-je faire ?*

Il peut alors s'avérer utile de consulter son médecin traitant ou de communiquer avec votre CLSC. Selon le degré d'inaptitude et les besoins de votre conjoint, vous pouvez songer à demander l'ouverture d'un régime de protection.

Par ailleurs, si votre conjoint a pris soin de vous nommer à titre de mandataire dans son mandat en cas d'inaptitude, vous devez, pour avoir le droit d'exercer les pouvoirs qu'il vous a confiés, procéder en premier lieu à l'homologation du mandat. Cette procédure judiciaire, qui vise à mettre le mandat en vigueur, permet au tribunal de vérifier son existence et sa validité. Elle permet également de s'assurer que votre conjoint est vraiment inapte en consultant l'évaluation médicale et psychosociale dont il a fait l'objet. Notez que le mandat peut aussi prendre effet à la suite d'une demande faite devant un notaire accrédité.

Pour toute aide ou information à cet égard, consultez un conseiller juridique ou communiquez avec le *Curateur public du Québec*.

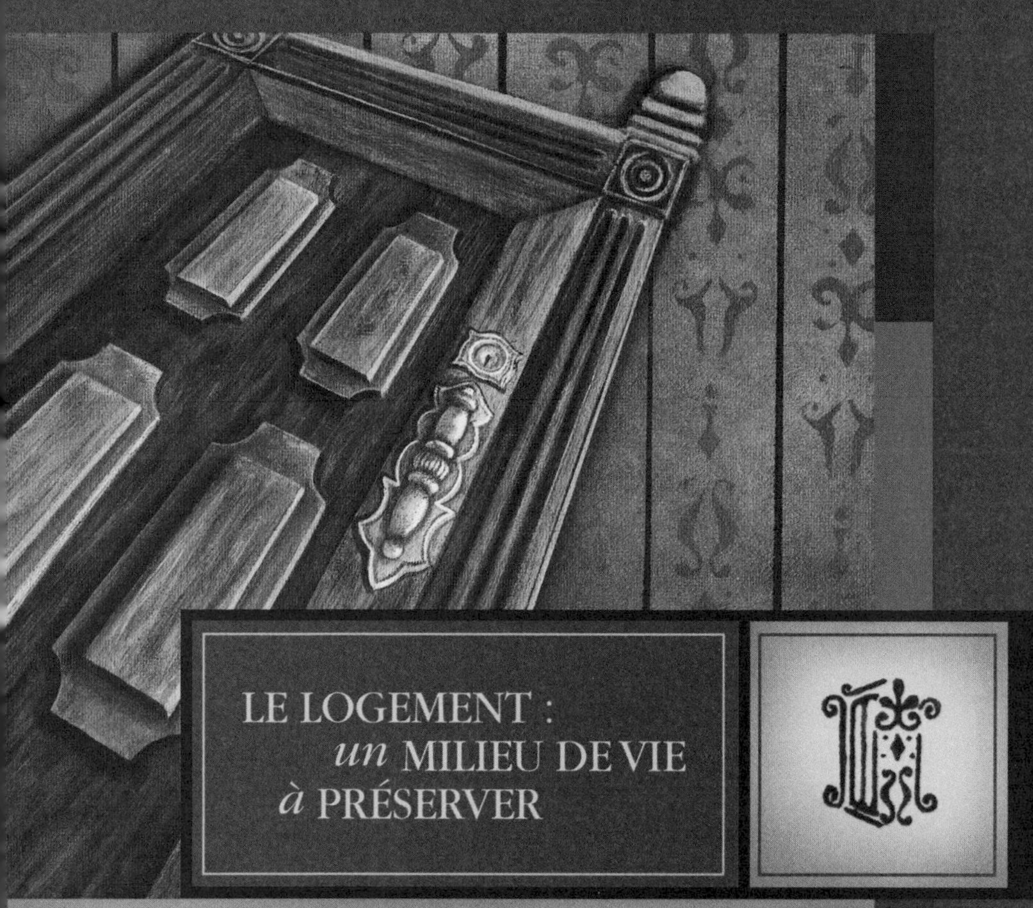

LE LOGEMENT : *un* MILIEU DE VIE *à* PRÉSERVER

Vous êtes bien dans votre logement mais avez besoin d'aide pour continuer d'y vivre ? Vous perdez votre autonomie, vous devez changer de demeure et avez besoin d'information pour bien choisir votre nouveau domicile ? Un membre de votre famille veut vous forcer à aller vivre en résidence ? Les aînés sont aux prises avec des problèmes spécifiques en matière de logement, mais ils ont aussi des droits spécialement adaptés à leur réalité. Connaître vos droits vous permettra de faire les choix qui vous conviennent vraiment !

Dans cette section, vous trouverez de l'information sur les programmes d'aide financière aux aînés pour le logement, les règles à respecter pour pouvoir mettre fin à un bail, le placement en établissement spécialisé ou en résidence et les moyens à votre portée pour faire respecter vos droits en matière de logement.

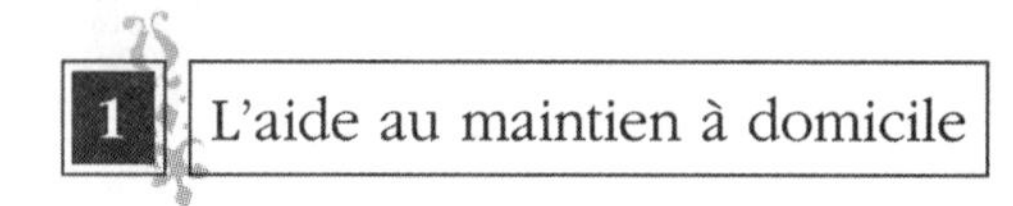

Où puis-je TROUVER DE L'AIDE *pour pouvoir*
DEMEURER CHEZ MOI*?*

Il se peut que vous soyez toujours autonome mais que vous ayez besoin d'aide pour continuer à habiter votre logement. Heureusement, différents programmes peuvent vous y aider! Tout d'abord, contactez votre CLSC pour obtenir de l'information sur les soins et les services de maintien à domicile et les programmes d'aide à l'alimentation.

De plus, en collaboration avec les municipalités, la *Société d'habitation du Québec* offre des programmes d'aide financière destinés aux aînés à faible revenu. Certains de ces programmes visent l'amélioration de l'état du logement. Ils permettent d'adapter certaines composantes de la résidence ou, si vous vivez en milieu rural, de procéder à des réparations majeures ou urgentes.

— En fonction de vos revenus, il est possible que vous soyez admissible à l'aide financière directe du programme Allocation-logement. Pour obtenir de l'information sur le sujet, contactez le ministère du Revenu du Québec.

D'autres programmes ont pour objectif de vous permettre de vous loger convenablement sans que vous y consacriez une part trop importante de votre revenu. Un logement à loyer modique ou un supplément au loyer vous donne ainsi la possibilité de ne débourser que 25 % du prix de celui-ci. Contactez votre municipalité ou son office municipal d'habitation pour obtenir plus de renseignements sur ces programmes.

2 Le placement en CHSLD et en résidence

Je suis ENCORE *très* AUTONOME. *Ma famille peut-elle décider de me* PLACER *en résidence* CONTRE MON GRÉ *?*

Non. Vous seul pouvez décider d'aller vivre en résidence privée. Tant qu'aucun régime de protection n'est ouvert à votre égard, votre famille ne pourra prendre cette décision à votre place.

Si, toutefois, vous devez être hébergé dans un établissement de santé ou de services sociaux pour y recevoir les soins requis par votre état de santé mais que l'on considère que vous n'êtes pas apte à consentir au placement, quelqu'un d'autre pourra alors décider à votre place. En l'absence d'un représentant légal, votre conjoint ou, à défaut, un proche parent ou une personne qui démontre pour vous un intérêt particulier pourra donner son consentement à cet égard. Si, malgré tout, vous continuez d'exprimer un refus catégorique de vous rendre à l'établissement, le tribunal devra alors trancher.

Dans le cas particulier où votre état mental représenterait un danger pour vous-même ou pour autrui, le tribunal pourrait également, sur demande de deux médecins, ordonner votre garde en établissement. Ce serait le cas par exemple si, à la suite d'une grave maladie dégénérative, vous sombriez rapidement dans la démence et deveniez dangereux pour vous-même. Cette garde constituerait toutefois un recours temporaire.

Puis-je mettre FIN PRÉMATURÉMENT à mon BAIL ?

Si vous avez signé un bail pour votre logement, vous ne pouvez normalement pas y mettre fin plus tôt que prévu. Par exemple, le décès de votre conjoint ne vous donnerait pas le droit de le résilier avant le terme. La situation serait cependant différente si vous quittiez votre logement actuel parce que vous auriez été admis de façon permanente dans un centre d'hébergement et de soins de longue durée (CHSLD) ou bien dans un foyer d'hébergement. Ce foyer devrait toutefois être en mesure de vous fournir les services d'assistance, de soutien et de surveillance requis en raison de votre vieillissement ou de la fragilité de votre santé.

— Si vous ne pouvez résilier votre bail, vous pouvez envisager de le céder ou de sous-louer votre logement. Mais dans le cas de la sous-location, vous en demeurez tout de même responsable.

Si vous habitez déjà en CHSLD ou en foyer d'hébergement et que vous voulez déménager de façon permanente dans un autre CHSLD ou un autre foyer, vous pouvez aussi mettre fin prématurément à votre bail.

Il est également possible de mettre fin à votre bail si vous déménagez dans un logement à loyer modique ou si un handicap irréversible ne vous permet plus d'habiter votre domicile actuel.

COMMENT *puis-je mettre* FIN *à mon* BAIL ?

Si vous voulez résilier votre bail et que l'une des situations décrites précédemment s'applique à vous, vous devez envoyer un avis écrit à votre propriétaire. Cet avis doit indiquer votre intention de mettre fin au bail et en expliquer la raison. De plus, il doit être accompagné d'une attestation de l'autorité concernée prouvant votre admission permanente dans un établissement ou confirmant votre handicap. Dans le premier cas, l'autorité concernée pourrait être le CHSLD, alors que, dans le cas d'un handicap, ce serait votre médecin qui vous fournirait un certificat médical.

L'effet de cet avis n'est cependant pas immédiat. Un délai précis doit être respecté pour que celui-ci soit valide. Ainsi, si votre bail est de 12 mois et plus, vous pouvez y mettre fin par un avis de trois mois avant la date de votre départ. Si, toutefois, aucune durée n'est déterminée dans votre bail, ou si celui-ci est de moins de 12 mois, le délai de l'avis est alors réduit à seulement un mois.

Mon CONJOINT *vient de* DÉCÉDER ; *puis-je demeurer dans mon logement et* REPRENDRE *le* BAIL À MON NOM *?*

Le décès de son conjoint ou de la personne avec qui l'on vit est déjà assez bouleversant que, à la suite de cette épreuve, on ne tient pas nécessairement à quitter son logement. Même si le bail était au nom de votre conjoint, ou de toute autre personne avec laquelle vous habitiez, par exemple votre frère ou un ami, il vous est possible de demeurer dans votre logement et de reprendre le bail à votre nom. Pour ce faire, il est important d'aviser le propriétaire de votre décision dans les deux mois suivant le décès de cette personne.

Toutefois, si vous vous retrouvez seul parce que vous vous êtes séparé de votre conjoint qui était l'unique signataire du bail, vous avez le droit de garder le logement à condition, cette fois, d'être marié ou uni civilement à lui. Ainsi, si vous viviez plutôt en union de fait avec votre conjoint, ou encore que vous habitiez avec un membre de votre famille, et que cette personne quitte le logement, il faut que vous ayez cohabité plus de six mois avant son départ pour pouvoir reprendre le bail. Si tel est le cas, vous devez aviser le propriétaire dans les deux mois qui suivent son départ.

Où dois-je m'adresser en cas de MÉSENTENTE *à propos de mon* BAIL *?*

Les questions relatives aux conditions pour mettre fin prématurément à votre bail, à la détermination du loyer à payer ou à la reprise du bail à votre nom sont importantes. Pourtant, les réponses à celles-ci varient selon que vous demeurez dans un logement traditionnel, dans une résidence privée ou en CHSLD.

— Lorsque des services particuliers vous sont offerts, une annexe à votre bail intitulée « Services aux personnes âgées et handicapées » doit être complétée.

En effet, si vous habitez un logement traditionnel ou une résidence privée et que vous croyez que vos droits ne sont pas respectés par votre propriétaire, vous disposez d'un recours auprès de la *Régie du logement*. Ce sera le cas, par exemple, si vous vivez dans une résidence privée et que vous ne recevez pas tous les services auxquels vous avez droit en vertu de votre bail et de son annexe « Services aux personnes âgées et handicapées ».

Par contre, si vous demeurez dans un CHSLD, c'est au comité d'usagers de l'établissement que vous devez vous adresser pour vous plaindre des services qui y sont offerts.

Quels sont mes DROITS *en tant que* RÉSIDENT
d'un CHSLD *ou d'une* RÉSIDENCE PRIVÉE *?*

Vous avez des droits, et ce, peu importe l'endroit où vous habitez. Que vous demeuriez dans une résidence privée ou en CHSLD, ceux-ci sont fondamentalement les mêmes que dans un logement traditionnel. Nous pouvons notamment mentionner les droits suivants : de recevoir des visiteurs si vous vivez dans un établissement (tout en respectant les horaires des visites prévus dans le règlement interne de ce dernier), de vivre dans un endroit sécuritaire et salubre, de pouvoir gérer vous-même vos biens, de pouvoir pratiquer votre religion, de recevoir et d'envoyer votre courrier en toute confidentialité.

Certains types d'établissement possèdent également un code d'éthique dans lequel sont consignés les droits des résidents et la ligne de conduite que doit adopter le personnel à l'endroit de ceux-ci. C'est le cas, par exemple, des CHSLD et de certaines résidences privées. Vous pouvez demander un exemplaire de ce code d'éthique à un représentant de votre établissement.

LE SYSTÈME DE SANTÉ : *des* RESSOURCES *à* APPRIVOISER

Êtes-vous obligé de suivre le traitement que vous propose votre médecin ? Pouvez-vous choisir votre professionnel de la santé ? Vous songez à porter plainte relativement aux soins que vous avez reçus mais vous ne savez ni comment faire ni où vous adresser ? Devoir se battre pour ses droits lorsqu'on est malade et à bout de force, c'est difficile ! Il est primordial de mieux connaître ses droits et obligations au sein du système de santé, et cela tant pour conserver une saine relation avec les personnes qui nous soignent que pour s'assurer de se faire respecter.

Dans cette section, vous pourrez en apprendre un peu plus sur le consentement aux soins, l'accès au dossier médical et les différents recours à votre disposition pour faire valoir vos droits dans notre système de santé.

1 Le choix du professionnel

Puis-je CONSULTER *le* PROFESSIONNEL *de la santé* DE MON CHOIX ?

Oui, tout comme vous pouvez normalement choisir l'établissement dans lequel vous désirez recevoir vos soins, vous avez également le droit de choisir votre professionnel de la santé. Ainsi, si vous ne vous sentez pas en confiance avec un professionnel, vous avez la possibilité d'en consulter un autre.

Toutefois, la loi prévoit que ce droit s'exerce suivant l'organisation et la disponibilité des ressources. Mais attention : il s'agit de limites importantes. En voici quelques exemples :

- Vous ne pouvez choisir de recevoir des soins à domicile de n'importe quel CLSC puisqu'un seul vous est attribué en fonction de votre lieu de résidence. Toutefois, vous pouvez vous présenter à une clinique sans rendez-vous d'un CLSC.

- Si votre hôpital ne dispose que d'un seul médecin spécialiste, par exemple un cardiologue, vous ne serez pas en mesure d'exercer un choix.

- Le médecin de famille ne peut généralement plus suivre son patient lorsque celui-ci entre en centre d'hébergement ; le choix d'un nouveau médecin devra alors s'effectuer parmi ceux du centre.

2 Le dossier médical

Puis-je avoir ACCÈS *à mon* DOSSIER MÉDICAL *?*
Et qu'en est-il de celui de mon CONJOINT *?*

Le principe est le suivant : vous avez le droit de consulter votre dossier médical. Même si vous ne pouvez vous charger vous-même de sa conservation, en le gardant à la maison par exemple, vous pouvez le consulter sur place ou en demander une copie, moyennant les frais de reproduction. Seules quelques exceptions s'appliquent à ce principe. Notamment, on peut vous refuser temporairement l'accès à votre dossier s'il peut en résulter un risque de préjudice grave pour votre santé physique ou mentale.

— Une demande de consultation de votre dossier médical doit idéalement être adressée par écrit à votre médecin traitant ou à la personne responsable de l'accès aux archives de l'établissement de santé.

Quant au dossier médical de votre conjoint, celui-ci est en principe confidentiel. Toutefois, si votre conjoint y consent, vous pouvez y avoir accès. Par ailleurs, si vous êtes la personne chargée de consentir aux soins à donner à votre conjoint ou si vous assumez la charge de tuteur, de curateur ou de mandataire, vous pouvez obtenir les informations nécessaires à l'exercice de vos fonctions. À titre d'exemple, si votre conjoint entre dans le coma et que son état de santé nécessite une intervention chirurgicale, vous ne pourrez consulter que les informations ayant un rapport avec cette opération et non l'ensemble de son dossier médical.

3 Le consentement aux soins

Puis-je DEMANDER *à mon médecin de* RECEVOIR *un* AUTRE TRAITEMENT *que celui qu'il me propose ?*

En principe, votre médecin doit vous informer des différents traitements disponibles ainsi que des avantages et inconvénients associés à chacun d'eux. Même s'il vous fournit de précieux conseils, le choix d'accepter ou de refuser un soin vous revient, et ce, qu'il s'agisse d'examens, de prélèvements, d'un traitement ou d'une intervention chirurgicale. Par exemple, si les nausées et les vomissements constituent pour vous des effets secondaires particulièrement intolérables, vous pouvez demander à votre médecin s'il existe un autre médicament ou traitement ne provoquant pas ces effets.

Au surplus, même si vous aviez consenti aux soins, vous pouvez toujours retirer cette autorisation, même verbalement, si vous estimez que, pour diverses raisons comme la douleur qu'ils provoquent ou vos convictions morales ou religieuses, le traitement n'est plus approprié. Votre médecin doit toutefois s'assurer que vous comprenez bien les conséquences de votre choix et que vous disposez de toute l'information utile pour prendre à cet égard une décision « éclairée ».

— La formule de consentement aux soins que vous avez signée lors de votre admission en centre d'hébergement ne vous enlève pas le droit de refuser certains soins qui peuvent vous être éventuellement proposés.

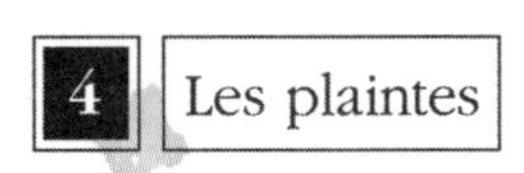

Je désire PORTER PLAINTE :
OÙ *dois-je* M'ADRESSER *pour le faire ?*

La loi prévoit que tout établissement de santé doit adopter une procédure d'examen des plaintes. Cette procédure vous permet de porter plainte relativement à un service reçu ou que vous auriez dû recevoir, notamment en cas d'insatisfaction de votre part quant à la qualité des soins offerts, l'attitude du personnel ou les délais d'attente. Pour déposer une plainte, vous devez communiquer avec le « commissaire local à la qualité des services » de l'établissement.

Lorsqu'un professionnel est directement en cause, vous pouvez aussi déposer une plainte auprès de son ordre professionnel, comme l'*Ordre des infirmières et infirmiers du Québec* ou le *Collège des médecins du Québec*. Pour ce faire, adressez-vous à l'ordre professionnel concerné.

Le dépôt de ces différentes plaintes n'exige le paiement d'aucuns frais ni ne donne droit à aucun dédommagement. Cependant, si vous désirez être indemnisé pour un préjudice que vous avez subi, vous devrez entreprendre un recours devant les tribunaux. Il sera alors fort souhaitable de consulter un avocat.

Enfin, dans les cas les plus graves, par exemple une agression physique, un vol ou une fraude, communiquez avec le service de police de votre région.

Existe-t-il des RESSOURCES *susceptibles de m'aider si je désire* PORTER PLAINTE *?*

Même s'il existe un processus officiel de plainte, rien ne vous empêche de parler d'abord de votre insatisfaction directement à la personne concernée. Cette conversation peut sauvegarder votre relation avec elle et ne vous prive en rien de la possibilité de recourir plus tard au dépôt d'une plainte formelle. Sachez également qu'il est interdit à toute personne de vous intimider pour vous inciter à renoncer à votre droit de porter plainte.

Pour déposer une plainte relativement à un service rendu par un établissement de santé, vous pouvez contacter le commissaire local à la qualité des services de l'établissement concerné ou le *Centre d'assistance et d'accompagnement aux plaintes* de votre région. Ceux-ci peuvent vous fournir de l'information, un soutien, et même vous aider à formuler votre plainte.

En outre, et ceci vaut particulièrement pour les personnes résidant en centre d'hébergement, vous pouvez communiquer avec votre comité des usagers. Ce comité a pour fonction de représenter les intérêts des résidents dans le cadre de leurs relations avec l'établissement. À ce titre, il peut vous offrir un certain appui dans vos démarches.

Tous les services offerts par ces ressources sont gratuits.

LE TESTAMENT : *un document qui permet de* PARTIR *en toute* SÉRÉNITÉ

Vous voulez faire un testament mais vous ne savez pas par où commencer, qui consulter pour sa rédaction, quoi prévoir comme dispositions ? Et si vous décidez de ne pas en faire, quelles en seront les conséquences ? Êtes-vous de ceux qui pensent que rédiger un tel acte fait mourir ? N'ayez crainte, il n'en est rien ! Bien au contraire, préparer son testament, c'est veiller à la bonne gestion de ses affaires, poser des gestes pour protéger et aider les siens, et s'assurer que nos dernières volontés seront respectées.

Dans cette section, vous trouverez des réponses à ces questions et à de nombreuses autres. Nous traiterons, en effet, des règles qui encadrent la rédaction d'un testament, des précautions à prendre pour assurer le respect de celui-ci, des petits trucs pour faciliter la vie à vos héritiers à la suite de votre décès ainsi que du rôle du liquidateur.

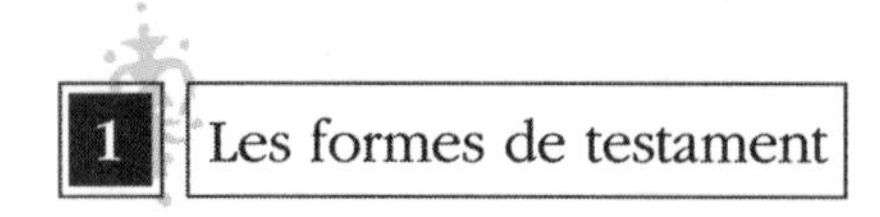

1 Les formes de testament

Par OÙ *devrais-je* COMMENCER *si je désire* FAIRE UN TESTAMENT *?*

En premier lieu, précisons qu'il existe trois formes de testament reconnues par la loi. Il y a d'abord le testament notarié, qui doit obligatoirement être reçu par un notaire. La deuxième forme est le testament devant témoins. Il peut être écrit à l'aide de n'importe quel moyen technique et doit être signé par vous ainsi que deux témoins. Il peut être préparé ou non par un avocat. Enfin, le testament olographe doit être entièrement écrit et signé de votre main.

Vous pouvez commencer par consulter un avocat ou un notaire. Certains d'entre eux peuvent même se déplacer si vous êtes dans l'incapacité de le faire. Pour obtenir les coordonnées d'un de ces professionnels, consultez les services de référence du *Barreau du Québec* et de la *Chambre des notaires du Québec*.

— Un testament olographe qui a été dactylographié à la machine, enregistré sur support informatique ou dont la lecture a été filmée sur une cassette vidéo est invalide !

Si vous souhaitez vous charger vous-même de votre testament, soyez bien informé des règles qui encadrent la rédaction et le contenu de ce type d'acte. Pour vous assurer que vos dernières volontés seront respectées, il est primordial que vous suiviez ces règles.

2 L'utilité du testament

Et si je choisissais de ne PAS *faire* DE TESTAMENT ?

S'il s'agit pour vous d'une question d'argent, renseignez-vous d'abord quant aux frais inhérents à la rédaction d'un testament. Bien qu'il soit vrai que celle-ci occasionne certaines dépenses, n'oubliez pas qu'une planification judicieuse de votre succession peut éviter des pertes de temps et d'argent à vos proches. Soyez aussi conscient que le fait de faire un testament vous permet de prévoir les conséquences fiscales que devront supporter vos héritiers à la suite de votre décès.

Si, malgré tout, vous décidez de ne pas faire de testament, ce sont les règles du Code civil du Québec qui détermineront qui, parmi les membres de votre famille, seront vos héritiers et dans quelle proportion votre succession sera partagée. Avant de choisir de ne pas faire de testament, assurez-vous que ces règles avantagent bel et bien ceux à qui vous souhaitez que vos biens soient attribués. De plus, en l'absence de testament, vous n'aurez pas désigné vous-même le liquidateur de votre succession. Vos héritiers devront se charger d'en nommer un.

3 La liberté et la confidentialité

Je sens que mon entourage fait PRESSION SUR MOI ; *que devrais-je faire ?*

Soulignons d'abord qu'un testament est un acte qui reflète votre volonté et que c'est à vous seul qu'il revient de choisir à qui et de quelle façon vous souhaitez distribuer vos biens.

Votre testament est un acte entièrement secret. Les registres du *Barreau du Québec* et de la *Chambre des notaires du Québec* constatent l'existence de votre testament mais ne renferment aucune information relative à son contenu. Vos héritiers devront donc faire la preuve de votre décès avant de pouvoir le consulter.

De plus, assurez-vous d'être seul lorsque vous visitez votre avocat ou votre notaire. Ces derniers sont tenus au secret professionnel et ne doivent révéler à quiconque la teneur de vos rencontres.

Rien ne vous oblige à remettre une copie de votre testament à qui que ce soit. Notez sur un papier l'endroit où celui-ci est gardé et laissez ce document dans un endroit facile d'accès. Le travail de vos proches sera ainsi facilité et vous garderez secret le contenu de votre testament.

J'ai peur que mon TESTAMENT *soit éventuellement* CONTESTÉ ; *que faire pour empêcher cela ?*

Plusieurs pensent qu'on doit être sain de corps et d'esprit pour rédiger son testament. Cet énoncé n'est qu'à moitié vrai; en fait, il suffit d'être sain d'esprit! Vous craignez peut-être que certaines personnes contestent votre testament en prétendant que vous n'aviez pas « toute votre tête » au moment de sa rédaction. Ce genre de situation est susceptible de se présenter si vous avantagez particulièrement certains de vos proches au détriment des autres. Si, par exemple, vous avez des antécédents psychiatriques, souffrez de la maladie d'Alzheimer, avez récemment été victime d'un accident vasculaire cérébral ou prenez des médicaments antidouleur tels que de la morphine, le risque de contestation peut être plus élevé.

— Sachez que votre capacité de faire votre testament est évaluée au moment de sa rédaction.

Bien qu'il existe une présomption à l'effet qu'une personne soit saine d'esprit et capable de disposer de ses biens comme bon lui semble, il vaut peut-être mieux prévenir que guérir. Dans un tel contexte, le testament notarié est un choix judicieux puisqu'il est plus difficile à contester en justice. En plus de s'enquérir de votre capacité sur les plans intellectuel et mental, le notaire peut également prendre la précaution d'obtenir une évaluation médicale confirmant que vous êtes apte à faire votre testament.

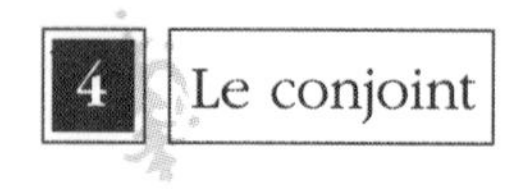

Mon CONJOINT *va-t-il* HÉRITER *de mes biens à la suite de mon décès ?*

Votre contrat de mariage* comprend peut-être une clause qu'on appelle couramment « au dernier vivant les biens ». Une telle clause fait en sorte que tous vos biens seront transmis à votre conjoint à la suite de votre décès. Mais cette clause est parfois révocable, c'est-à-dire qu'elle peut être modifiée ou annulée en tout temps. Dans ce cas, vous pouvez léguer vos biens par testament aux personnes de votre choix. Si votre conjoint est décédé ou que vous êtes divorcé, cette clause ne s'applique plus. Assurez-vous de connaître ce que prévoit votre contrat de mariage, votre régime matrimonial et les règles du patrimoine familial. Toutes ces dispositions peuvent influer sur la part d'héritage que vous laissez à vos proches.

Si, par contre, vous n'êtes pas marié, sachez que, si vous décidez de ne pas faire de testament, votre conjoint de fait n'aura pas droit à votre héritage.

Encore une fois, prenez la peine de relire annuellement vos documents. Votre mandat en cas d'inaptitude, votre testament, vos contrats d'assurance pourraient devoir être modifiés si votre conjoint décède ou devient inapte.

* Dans cette section, veuillez noter que tout ce qui s'applique aux conjoints mariés s'applique aussi aux conjoints unis civilement.

5 Les trucs pratiques

Comment FACILITER LA TÂCHE *à mes proches en* PRÉVISION *de mon décès ?*

Mettez de l'ordre dans vos papiers. Voilà la première chose que vous devez faire pour aider vos proches en prévision de votre décès. N'attendez pas qu'il soit trop tard ; occupez-vous-en dès maintenant. Voici une liste de documents à rassembler pour leur faciliter la tâche :

- Dressez un inventaire de vos biens : immeubles, objets de valeur, véhicules, etc.
- Joignez une copie de votre mandat en cas d'inaptitude.
- Joignez une copie de votre testament dans une enveloppe scellée ou alors une note indiquant l'endroit où il se trouve.
- Ajoutez-y la clé de votre coffret de sécurité et les coordonnées exactes de celui-ci.
- Consignez sur un document autre que votre testament vos dernières volontés concernant vos funérailles. Les décisions relatives aux funérailles se prennent très vite, souvent avant que le testament soit lu.
- Notez sur papier les informations importantes : l'adresse et le numéro de téléphone de votre assureur et le numéro de votre contrat, vos numéros de comptes en banque et l'adresse de vos institutions bancaires, les informations relatives à vos REER, l'adresse et le numéro de téléphone de votre notaire ou avocat chez qui se trouve votre testament.

— Dites à l'un de vos proches où se trouvent ces documents et révisez-les une fois l'an pour vous assurer qu'ils sont encore à jour.

À la suite de mon décès, quel sera le RÔLE *du* LIQUIDATEUR *de ma* SUCCESSION ?

Le liquidateur, appelé autrefois « l'exécuteur testamentaire », est désigné dans votre testament. Sinon, il sera nommé par vos héritiers. Ses tâches sont nombreuses : il doit veiller à la liquidation de votre succession, à la fermeture des comptes et de toutes vos affaires en cours ainsi qu'à l'administration de vos biens jusqu'à ce que ceux-ci soient remis aux héritiers. La fonction de liquidateur doit donc être confiée à une personne méritant toute votre confiance.

Si votre testament a été fait sous forme olographe ou devant témoins, le liquidateur devra faire procéder à sa vérification. Il s'agit d'une procédure judiciaire, déposée en cour ou présentée devant un notaire, qui vise à vérifier qu'il s'agit bel et bien de votre testament et que ce dernier est valide quant à sa forme. Pour ce qui est du testament notarié, il n'a pas besoin d'être vérifié pour en assurer la validité.

— Si votre succession est importante et que son règlement risque d'être complexe, prévoyez la nomination de plus d'un liquidateur dans votre testament ou confiez cette tâche à un fiduciaire.

Vous n'avez généralement pas à prévoir de rémunération pour le liquidateur s'il est l'un de vos héritiers. Toutefois, si tel n'est pas le cas, indiquez dans votre testament la somme ou le pourcentage de la succession que vous voulez lui verser à titre de rémunération.

Association des CLSC et des CHSLD du Québec
Téléphone : (514) 931-1448

Barreau du Québec
Téléphone : 1 800 361-8495

Bureau du commissaire général du travail
Téléphone (région de Québec) : (418) 643-3208
Téléphone (région de Montréal) : (514) 873-2723

Centre d'assistance et d'accompagnement aux plaintes
Téléphone : 1 877 767-2227

Chambre des notaires du Québec
Téléphone : 1 800 263-1793

Collège des médecins du Québec
Téléphone (région de Montréal) : (514) 933-4441
Téléphone (à l'extérieur de Montréal) : 1 866 633-3246

Commission des droits de la personne et des droits de la jeunesse
Téléphone : 1 800 361-6477

Commission des normes du travail
Téléphone (région de Montréal) : (514) 873-7061
Téléphone (à l'extérieur de Montréal) : 1 800 265-1414

Curateur public du Québec
Téléphone : 1 800 363-9020

Ministère du Revenu du Québec
(programme Allocation-logement)
Téléphone : 1 866 460-2500

Office de la protection du consommateur
Téléphone : 1 888 672-2556

Ordre des infirmières et infirmiers du Québec
Téléphone : 1 800 363-6048

Publications du Québec
Téléphone : 1 800 463-2100

Régie du logement
Téléphone (régions de Montréal, Laval, et Longueuil) :
(514) 873-2245
Téléphone (région de Québec) : (418) 643-2245
Téléphone (partout ailleurs) : 1 800 683-2245

Société d'habitation du Québec
Téléphone : 1 800 463-4315

Cette brochure est une publication de la FONDATION DU BARREAU DU QUÉBEC *réalisée en collaboration avec* ÉDUCALOI.

La Fondation du Barreau du Québec est un organisme à but non lucratif qui a vu le jour en 1978. Elle propose et élabore des activités destinées à mieux faire connaître la place et le rôle de la profession juridique dans la société, et soutient et récompense les efforts de ceux qui les mènent à terme. Elle finance des projets dont le but est de mieux servir les intérêts juridiques des citoyens, notamment par la réalisation d'outils de vulgarisation et d'information juridiques s'adressant à eux.

Pour sa part, Éducaloi s'est donné pour mission de renseigner les citoyens sur leurs droits et obligations en mettant à leur disposition de tels outils. Il lui revient de trouver des réponses aux questions que se posent les Québécoises et les Québécois en faisant preuve d'imagination dans la façon d'y parvenir. Pour ce faire, il peut compter sur l'aide financière du ministère de la Justice du Canada, du ministère de la Justice du Québec et du Barreau du Québec.

REMERCIEMENTS

La FONDATION DU BARREAU DU QUÉBEC et ÉDUCALOI s'unissent pour remercier tous les organismes qui ont collaboré à la validation juridique et à la diffusion de ce guide notamment le Curateur public du Québec, Option-Consommateurs, la Chambre des notaires du Québec, la Commission des droits de la personne et des droits de la jeunesse, la Société d'habitation du Québec, la Régie du logement, la Fédération de l'âge d'or du Québec (FADOQ), la Banque Nationale du Canada et le Conseil des aînés.

Pour obtenir une copie du Juriguide pour les aînés, composez le 1 800 361-8495 poste 3456.